... MONDO, TU ERES
MI VIDA.. GRACIAS
A DIOS POR TU
VIDA... POR TU
PRESENCIA... TU
ALEGRIA ES MI
VIDA, ASIQUE NUNCA
DEJES DE SONREIR
POR QUE SI LO HACES
MORIRE YO...
PRINCESA
"I LOVE U"
ATT. TU
mami
martha...
may/08

Presentado a

_____

Por Martha I. Diaz (FEB.28.08)

Para Nathaly con Amor...

ORACIONES
para corazoncitos

EDITORIAL
UNILIT

Pequeñas bendiciones™

Publicado por
Editorial Unilit
Miami, Fl. 33172, EE.UU.

Primera edición 1998
Segunda edición 1999
Tercera edición 1999
Cuarta edición 2004

Coedición mundial organizada y producida por
Lion Hudson plc,
Mayfield House, 256 Banbury Road,
Oxford OX2 7DH, England.
Tel. +44 (0) 1865-302750
Fax. +44 (0) 1865-302757
Correo electrónico: coed@lionhudson.com
www.lionhudson.com

Producto 497769
ISBN 0-7899-0437-3
Impreso en China
Printed in China

La oración es un regalo de Dios. Él desea que los padres oren por sus hijos y con ellos. Dios quiere que enseñemos a nuestros hijos a orar. ¿Pero cuándo nuestros niños están listos para hacerlo? Una guía sencilla es tan pronto como los niños comienzan a hablar, ellos están listos para orar. Ciertamente que el niño no comprenderá todo el significado de la oración y todo lo que ella hace por nosotros. Pero ellos pueden entender que la oración es simplemente hablar con nuestro Padre celestial.

Dios quiere que los niños vengan a Él en oración:

Pero cuando Jesús vio esto, se indignó y les dijo: "Dejad que los niños vengan a mí; no se lo impidáis, porque de los que son como estos es el reino de Dios" (Marcos 10:14).

Dios quiere que los niños le llamen su Padre celestial:
"Vosotros, pues, orad de esta manera:

"Padre nuestro que estás en los cielos,

santificado sea tu nombre" (Mateo 6:9).

Dios quiere que los niños le pidan a Él
"Porque todo el que pide, recibe; y el que

busca, halla; y al que llama, se le abrirá"

(Mateo 7:8).

Dios quiere que los niños oren por sus necesidades:
"Por nada estéis afanosos; antes bien, en todo,

mediante oración y súplica con acción de gracias,

sean dadas a conocer vuestras peticiones

delante de Dios" (Filipenses 4:6).

Dios quiere que los niños oren cada día:
"Gozándoos en la esperanza, perseverando en el

sufrimiento, dedicados a la oración"

(Romanos 12:12).

Dios quiere que los niños oren en cualquier momento del día:

> *"Estad siempre gozosos; orad sin cesar; dad gracias en todo, porque esta es la voluntad de Dios para vosotros en Cristo Jesús"* (1 Tesalonicenses 5:16-18).

Dios quiere que todos sus hijos le alaben:

> *Alabad a nuestro Dios todos sus siervos, los que le teméis, los pequeños y los grandes"* (Apocalipsis 19:5).

> *Las siguientes oraciones están basadas directamente en los versículos de la Biblia. Juntos usted y su hijo, pueden buscar la referencia incluida con cada oración. Nunca es temprano para enseñar a su pequeñito a orar. Y nunca es demasiado tarde para los padres, para que comiencen a enseñar a sus hijos cómo orar.*

Querido Dios:
Por favor, ayúdame a
amarte con todo mi corazón,
con toda mi alma y con
todas mis fuerzas.
En el nombre de Jesús. Amén.

De Deuteronomio 6:5

Querido Dios:
Tú eres muy amoroso y
bondadoso. Siempre
cumples tus promesas.
Por favor,
ayúdame a hacer lo mejor
que puedo.
En el nombre de Jesús. Amén.

De 1 Reyes 8:23

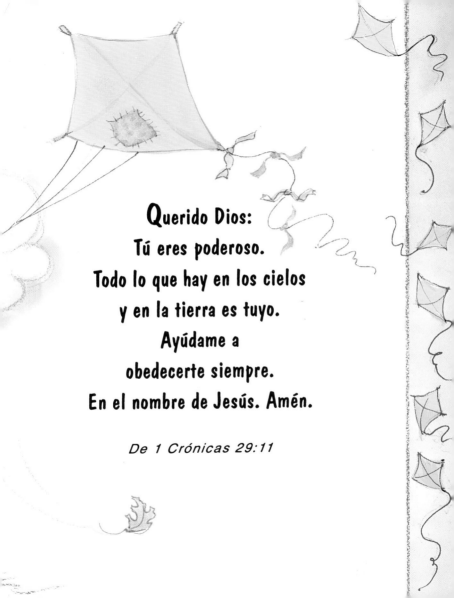

Querido Dios:
Tú eres poderoso.
Todo lo que hay en los cielos
y en la tierra es tuyo.
Ayúdame a
obedecerte siempre.
En el nombre de Jesús. Amén.

De 1 Crónicas 29:11

Querido Dios:
Yo quiero orar cada día.
Ayúdame a orar con todo
mi corazón.
En el nombre de
Jesús. Amén.

Del Salmo 5:3

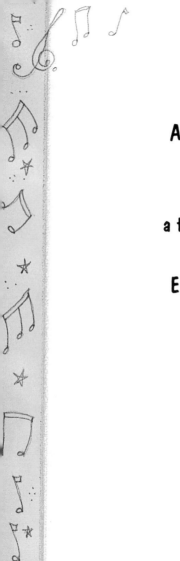

Querido Dios:
Ayúdame a alabarte con
todo mi corazón.
Yo quiero contarle
a todos las grandes cosas
que Tú has hecho.
En el nombre de Jesús.
Amén.

Del Salmo 9:1

Querido Dios:
¡Te amo mucho!
Tú has hecho muchas
cosas buenas para mí.
En el nombre de Jesús. Amén.

Del Salmo 18:1

Querido Dios:
Cuando tenga temor,
en ti yo confiaré.
En el nombre de Jesús. Amén.

Del Salmo 56:3

Querido Dios:
Tú me has dado
las fuerzas.
Te cantaré alabanzas
porque tú eres
mi seguridad.
En el nombre de Jesús. Amén.

Del Salmo 59:9

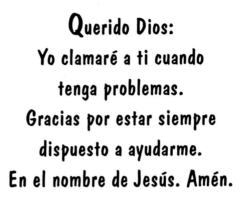

Querido Dios:
Yo clamaré a ti cuando
tenga problemas.
Gracias por estar siempre
dispuesto a ayudarme.
En el nombre de Jesús. Amén.

Del Salmo 86:7

Querido Dios:
Tú hiciste todas las
partes de mi cuerpo.
¡Gracias por hacerme tan
maravillosamente!
En el nombre de Jesús. Amén.

Del Salmo 139:13-14

Querido Dios:
No hay nadie como tú.
Tú eres grande,
y tu nombre está lleno
de poder.
En el nombre de Jesús. Amén.

De Jeremías 10:6

Querido Dios:
¡Yo no quiero esconder tu luz!
Permite que mi luz alumbre
para todos.
En el nombre de Jesús. Amén.

De Mateo 5:15-16

Querido Dios:
Por favor, ayúdame a
hacer con otros, lo que
quiero me hagan a mí.
En el nombre de Jesús. Amén.

De Mateo 7:12

Querido Dios:
Gracias por perdonarme
mis pecados. Por favor,
ayúdame para que yo
pueda perdonar
a otros también.
En el nombre de Jesús. Amén.

De Marcos 11:25

Querido Dios:
¡Oh, como te alabo!
¡Yo me regocijo en
Dios mi Salvador!
En el nombre de Jesús. Amén.

De Lucas 1:46-47

Querido Dios:
Gracias por enviar a Jesús a
morir para que yo tenga
vida eterna.
En el nombre de Jesús. Amén.

De Juan 3:16

Querido Dios:
Ayúdame a amar a otro
justamente como tú
me amas a mí.
En el nombre de Jesús. Amén.

De Juan 13:34

Querido Dios:
Por favor, ayúdame para que no
me canse de hacer el bien.
Ayúdame a no
desanimarme tampoco.
En el nombre de Jesús. Amén

De Gálatas 6:9

Querido Dios:
Enséñame cómo honrar
a mi padre y a mi madre.
Por favor, ayúdame a
obedecerlos siempre.
En el nombre de Jesús. Amén.

De Efesios 6:1-2

Querido Dios:
Por favor, ayúdame a
mantenerme fuera de quejas
y murmuraciones.
En el nombre de Jesús. Amén.

De Filipenses 2:14

Querido Dios:
Ayúdame a no
preocuparme por ninguna cosa,
sino a orar por todo.
En el nombre de Jesús. Amén.

De Filipenses 4:6

Querido Dios:
Ayúdame a confiar en ti
en cada problema
que tenga cada día.
Ayúdame a crecer
cerca de ti.
En el nombre de Jesús. Amén.

De Colosenses 2:6

Querido Dios:
Ayúdame a estar siempre
gozoso. Ayúdame a
mantenerme siempre
en oración.
En el nombre de Jesús. Amén.

De 1 Tesalonicenses 5:16-17

Querido Dios:
Gracias pues puedo orar
pidiéndote sabiduría.
Por favor,
dame mucha de ella.
En el nombre de Jesús. Amén.

De Santiago 1:5

Querido Dios:
Por favor, ayúdame
a escuchar bien.
Ayúdame a no enojarme
con otros.
En el nombre de Jesús.
Amén.

De Santiago 1:19

Querido Dios:
Ayúdame a aprender más y más
acerca de Jesús.
En el nombre de Jesús. Amén.

De 2 Pedro 3:18

Querido Dios:
Ayúdame a amar
realmente a la gente.
Ayúdame a probar que les amo
por mis acciones.
En el nombre de Jesús. Amén.

De 1 Juan 3:18

Querido Dios Todopoderoso:
Tú eres digno de recibir
toda la gloria,
el honor y el poder.
Tú has creado
todas las cosas.
En el nombre de Jesús. Amén.

De Apocalipsis 4:11

Oraciones para
días especiales

Con todas las ocupaciones que los padres tienen para preparar todo en las ocasiones especiales, podemos perder la oportunidad de ayudar a hacer énfasis en las bendiciones en las vidas de nuestros hijos. En el Antiguo Testamento, Dios dirigió a la nación de Israel a construir un altar y ofrendar sacrificios en las ocasiones especiales. Hoy, Dios se complace cuando su pueblo le da honor a través de sus oraciones, y gracias por los acontecimientos especiales en sus vidas. Orar con sus hijos en las ocasiones especiales les ayudará a comprender que todas las cosas buenas vienen de Dios. He aquí algunas oraciones para esas ocasiones especiales.

Cumpleaños

Querido Dios:
Gracias por permitirme
nacer. Gracias por darme la
vida. Gracias por otro
cumpleaños. Ayúdame a
vivir para ti.
En el nombre de Jesús. Amén.

Navidades

Querido Dios:
Gracias por todos los
regalos que recibimos en
Navidad. Y gracias por
darnos a Jesús que es el
mejor regalo de todos.
En el nombre de Jesús. Amén.

Semana Santa

Querido Dios:
Estoy triste porque Jesús tuvo
que morir para pagar por
el pecado. Pero estoy
feliz porque Él pagó por mis
pecados. ¡Gracias por
resucitarlo a Él de nuevo!
En el nombre de Jesús. Amén.

Acción de Gracias

Querido Dios:
Gracias por darme
alimentos, ropas y un lugar
donde vivir. Gracias por mi
familia y mis amigos.
Por favor, ayúdame a ser
agradecido todos
los días, también.
En el nombre de Jesús. Amén.

Día de las madres

Querido Dios:
Gracias por mi mamá.
Por favor dale a ella
un buen día. Por favor,
ayúdame a amarla y obedecerla
en todo tiempo.
En el nombre de Jesús. Amén.

Día de los padres

Querido Dios:
Gracias por mi papá.
Por favor dale a él un buen día.
Por favor, ayúdame a amarlo y
obedecerlo en todo tiempo.
En el nombre de Jesús. Amén.

Día de los abuelos

Querido Dios:
Gracias por mi abuela y mi
abuelo. Ellos son
especiales para mí.
Gracias porque sé que yo
también soy especial para
ellos. Por favor, cuídalos.
En el nombre de Jesús. Amén.

Primer día de escuela

Querido Dios:
Gracias por mi nueva
escuela. Ayúdame a no
tener temor. Por favor,
asiste a mi maestra para que
me ayude a aprender
y a crecer,
En el nombre de Jesús. Amén.

Haciendo amigos

Querido Dios:
Gracias porque voy a encontrar
nuevos amigos hoy.
Ayúdame a ser un buen amigo.
Gracias porque tú eres
nuestro amigo.
En el nombre de Jesús. Amén.

Haciendo un viaje

Querido Dios,
Gracias porque puedo ir en
este viaje tan bueno.
Por favor, que estemos seguros
mientras viajamos.
Ayúdanos a todos a ser como
una familia.
En el nombre de Jesús. Amén.